LA GROSSE PATATE

À ma mère, Edith Cohen. — A.D.

À la mémoire de ma mère et de mon père, qui m'ont raconté cette histoire il y a plusieurs années. — D.P.

Édition publiée par Les éditions Scholastic, 123, Newkirk Road, Richmond Hill (Ontario) L4C 3G5 avec la permission de Kids Can Press Ltd.

Les illustrations de cet album ont été réalisées à l'aquarelle et au crayon sur papier Bockingford 140 lb. Le texte est imprimé en caractère Garamond.

Données de catalogage avant publication (Canada)

Davis, Aubrey

Enormous potato. Français

La grosse patate

Traduction de: The enormous potato.

ISBN 0-590-16682-4

I. Petričić, Dušan . II. Bourque, Michel.

III. Titre. IV. Titre: Enormous potato. Français.

PS8557.A832E5614 1997 jC813'.54 C97-930662-0

PZ23.D38Gr 1997

5 4 3 2 1   Imprimé à Hong-Kong   7 8 9/9

LA GROSSE PATATE

ADAPTÉ PAR
AUBREY DAVIS

ILLUSTRÉ PAR **DUŠAN PETRIČIĆ**

Les éditions Scholastic

Il était une fois un fermier
avec des yeux de patate.

Il avait des yeux comme les tiens
et des yeux comme les miens
et des yeux de patate pour planter.

Un jour, le fermier les plante justement
et une patate se met à pousser.

La patate grossit
et grossit...

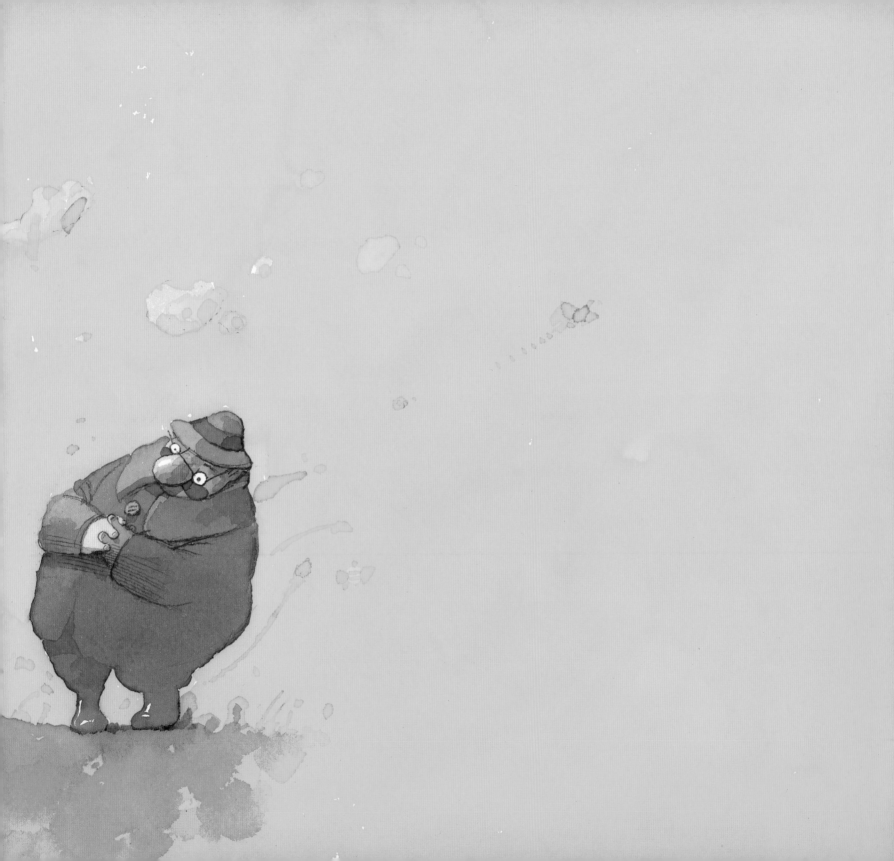

... et grossit
et grossit.

Jamais on n'a vu
une si grosse patate!

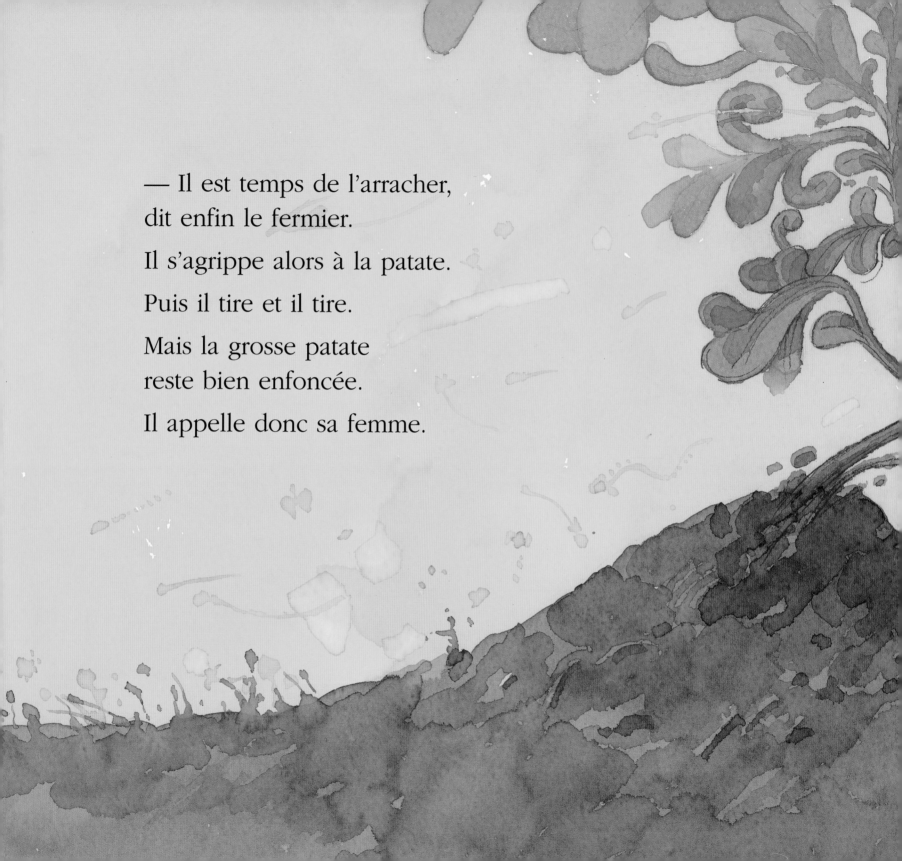

— Il est temps de l'arracher,
dit enfin le fermier.

Il s'agrippe alors à la patate.

Puis il tire et il tire.

Mais la grosse patate
reste bien enfoncée.

Il appelle donc sa femme.

La femme s'agrippe alors au fermier.

Le fermier s'agrippe à la patate.

Puis ils tirent et ils tirent.

Mais la grosse patate
reste bien enfoncée.

La femme appelle donc sa fille.

La fille s'agrippe alors à la femme.

La femme s'agrippe au fermier.

Le fermier s'agrippe à la patate.

Puis ils tirent et ils tirent.

Mais la grosse patate
reste bien enfoncée.

La fille appelle donc son chien.

«OUA! OUA! OUA!»

Le chien s'agrippe alors à la fille.

La fille s'agrippe à la femme.

La femme s'agrippe au fermier.

Le fermier s'agrippe à la patate.

Puis ils tirent et ils tirent.

Mais la grosse patate
reste bien enfoncée.

Le chien appelle donc le chat.

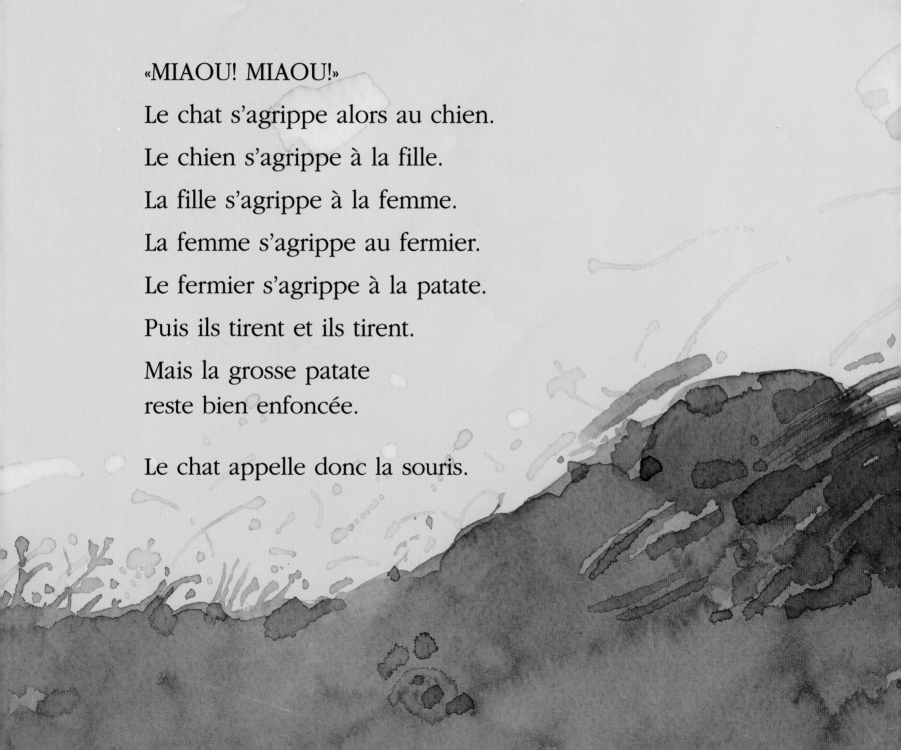

«MIAOU! MIAOU!»

Le chat s'agrippe alors au chien.

Le chien s'agrippe à la fille.

La fille s'agrippe à la femme.

La femme s'agrippe au fermier.

Le fermier s'agrippe à la patate.

Puis ils tirent et ils tirent.

Mais la grosse patate
reste bien enfoncée.

Le chat appelle donc la souris.

«TUI! TUI! TUI!»

La souris s'agrippe alors au chat.

Le chat s'agrippe au chien.

Le chien s'agrippe à la fille.

La fille s'agrippe à la femme.

La femme s'agrippe au fermier.

Le fermier s'agrippe à la patate.

Puis ils tirent et ils tirent.

Et ils tirent et ils tirent et... PATAPOUF!

La voilà enfin : la grosse patate!

— Quelle patate!
dit le fermier.

— Quelle grosse patate!
dit la femme.

— Quelle grosse patate
toute sale! dit la fille.

Ils lavent donc la patate
et se lancent aussitôt
dans la popote
de patate!

La senteur de patate invite alors tout le village.

Avec des fourchettes et des bols
et du beurre et du sel,
tout le monde fait la queue
pour savourer la patate.

Et quel festin!

Toute la journée,
on mange et on mange...

... et on finit par finir la patate.

Comme je finis par finir mon histoire!